これは、わたしが1ぴきのこねこに出会ったときの、物語《ものがたり》です。

mari torigoe
2023

名なしのこねこ

とりごえまり

アリス館

9月なかば。少《すこ》しうごくと汗《あせ》ばむ、暑《あつ》い夜《よる》のことです。

時《と》計《けい》の針《はり》は0時《じ》をまわっていました。

テレビを見ていた夫《おっと》が、いいました。

「今日《きょう》、車やさんにいったとき、
こねこがいたんだ。

となりの公園《こうえん》から迷《まよ》いこんだみたいだよ」

「その子、どうなったの？」

「お店《みせ》の人が、パンと牛乳《ぎゅうにゅう》をあげてた」

アイロンをかけていたわたしは手をとめ、いいました。

「えっ、牛乳《ぎゅうにゅう》はだめだよ」

「うん、牛乳《ぎゅうにゅう》を飲《の》むと、下痢《げり》するかもしれませんよって、教《おし》えてあげたよ」

もしも、こねこが下痢《げり》をしてしまっていたら、弱《よわ》って死《し》んでしまうことも
あるかもしれません。

「だいじょうぶかなぁ…」

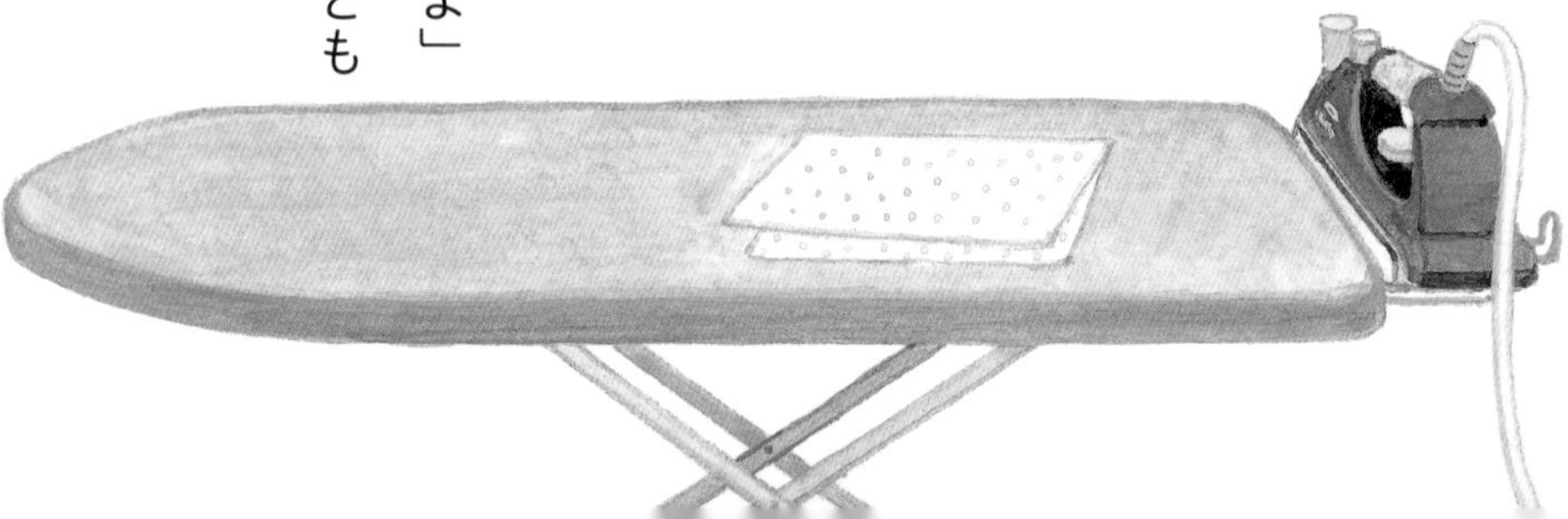

心配《しんぱい》でたまらなくなり、わたしたちは、こねこを探《さが》しにいくことにしました。

うすいジャケットをはおり、外《そと》に出ると、町《まち》は静《しず》まりかえっていました。

車でむかった公園《こうえん》までの道《みち》に人かげはなく、コンビニエンスストアの青白い明《あ》かりだけが、こうこうと光《ひか》っていました。

まず、車やさんのまわりを探《さが》し、それから公園《こうえん》にいってみました。
中へ入ると、そこは明《あ》かりもなく暗《くら》がりでした。
おくは、いくつかの電灯《でんとう》にてらされ、ぼんやりと広場《ひろば》が見えました。

わたしたちは、緊張《きんちょう》しながら、ゆっくりした足どりで進《すす》みました。

しげみの中、ベンチの下、ごみばこのかげ…こねこは、どこにも見あたりません。

「だれかが、つれて帰《かえ》ったのかもしれないね」

よいほうに考《かんが》えようと努力《どりょく》し、わたしたちは、公園《こうえん》をあとにしました。

つぎの日、わたしはおきてからずっと、こねこのことばかり考《かんが》えていました。洗濯物《せんたくもの》を干《ほ》しにベランダへ出ると、まえの日よりも強《つよ》い日がさしています。テレビの天気予報《てんきよほう》では、最高気温《さいこうきおん》が34度《ど》にもなるといっていました。

こんな暑《あつ》い中で、まだ公園《こうえん》にいたら…どんどん心配《しんぱい》はふくらんでいきました。

『もしもいたら、ごはんだけでもあげてこよう』

うちのねこにあげているキャットフードを、かばんに入れ、自転車《じてんしゃ》で公園《こうえん》にむかいました。

『うちには2ひきのねこがいる。これ以上《いじょう》、ねこをつれてくるのは、無理《むり》かもしれない…』

いなければいいなぁ、という気もちを半分《はんぶん》かかえて、ペダルをこいでいました。

公園《こうえん》につき、入口に自転車《じてんしゃ》をとめ、ドキドキしながら中へ入りました。
草むらは、青あおとしげり、太陽《たいよう》の強《つよ》い光《ひかり》にてらされています。
見まわすと、木のかげになっているところに、ガリガリにやせた小さな
こねこが、ちょこんとすわっていたのです。
『あっ、いた！　きっとこの子だ』
わたしは、心《こころ》の中でさけびました。

びっくりさせないように、さりげなく、こねこのほうへと歩《ある》きました。

顔《かお》の上半分《はんぶん》はこげ茶《ちゃ》で、口のまわりから下は白いねこ。からだのわりには耳が大きくピンと立ち、細《ほそ》くあごがとがっています。

こねこはわたしに気づいたのか、いたそうに細《ほそ》めた目で、ジーッとこちらを見ています。敵《てき》なのか、味方《みかた》なのか、見さだめているようでした。

こねことわたしの距離《きょり》は、あと3メートルくらい。わたしは息《いき》をころし、そっとしゃがむと、こねこの目をのぞきこみました。

すると、こねこはわたしの目をじっと見つめたまま、「ニャー」とか細《ぼそ》い声《こえ》で、せいいっぱい何《なに》かをうったえるように、ないたのです。

さらに近《ちか》づいてよく見ると、片目《かため》はめやにでふさがり、はなの穴《あな》もはな水がかたまり、ふさがっています。苦《くる》しそうに口で呼吸《こきゅう》していました。キャットフードを手にのせて、口に近《ちか》づけても食《た》べません。つまったはなで、いっしょうけんめいにおいをかごうとするので、ピーピー、フガフガと音がします。

『このままでは、死《し》んでしまうかもしれない』

そう思《おも》った瞬間《しゅんかん》、わたしはこねこを抱《だ》き上げていました。片手《かたて》でもてるほどの、軽《かる》いからだでした。

とつぜんのできごとにびっくりしたこねこは、目をまんまるにし、大きな口をあけてないていたいます。

わたしはこねこを手さげかばんに入れ、自転車《じてんしゃ》にまたがりました。

『どうしよう…』

ひっしに気もちをおちつかせながら、考《かんが》えました。

こねこは、かぜのほかにも、伝染《でんせん》病《びょう》にかかっているかもしれません。

『まっすぐ病院《びょういん》につれていこう』

そうきめて、出発《しゅっぱつ》しました。

ふだん、スーパーマーケットや駅《えき》にむかうときよりも、ずっと速《はや》くペダルをこぎました。道《みち》に段差《だんさ》があるところでは、こねこがおどろかないように、スピードをゆるめます。

かばんの中では、ときどきこねこがモゾモゾとうごいていました。
赤信号《あかしんごう》で車がとまり静《しず》かになると、こねこの声《こえ》が「ニャー」とひびきました。車の音にかき消《け》されていただけで、ずっとないていたのでしょう。
わたしは「だいじょうぶだよ」と何度《なんど》も声《こえ》をかけ、かばんの外《そと》から、こねこのからだをなでました。

通《とお》りに面《めん》した2階建《かいだ》ての動物病院《どうぶつびょういん》。バスの中から見かけたことはありましたが、おとずれるのははじめてです。

わたしは自転車《じてんしゃ》をとめると、中へかけこみました。ほどよく冷房《れいぼう》のきいた院内《いんない》で、汗《あせ》が背中《せなか》をつたうのを感《かん》じました。

「すみませーん」

呼《よ》びかけると、おくの部屋《へや》から若《わか》い女性《じょせい》が出てきました。わたしは早口《はやくち》ではなしました。

「ついさっき見つけたこねこなんですが、ぐあいが悪《わる》いようなので、すぐに診《み》ていただけませんか？」

「先生にきいてきますので、少《すこ》しおまちくださいね」

その女性《じょせい》は、足早《あしばや》に2階《かい》へと上がっていきました。

動物病院

かばんの口を少《すこ》しあけてやると、こねこは顔《かお》だけひょっこり出し、
キョロキョロと見まわしています。
しばらくして、わたしたちは2階《かい》の診察室《しんさつしつ》に案内《あんない》されました。

診察室《しんさつしつ》には、めがねをかけた、ひょろっと背《せ》の高《たか》い先生がいました。

「ここに、ねこちゃんをおいてください」

わたしはかばんからこねこを出し、診察《しんさつ》台《だい》の上におきました。こねこは姿勢《しせい》を低《ひく》くして、目だけキョロキョロさせています。

「体重《たいじゅう》をはかりましょうね」

先生は、こねこをひょいともち上げると、体重計《たいじゅうけい》にのせました。１・５キロでした。

「体重《たいじゅう》から見て、生後《せいご》3か月くらいでしょう…男の子ですね」

おしりを見て、先生はいいました。

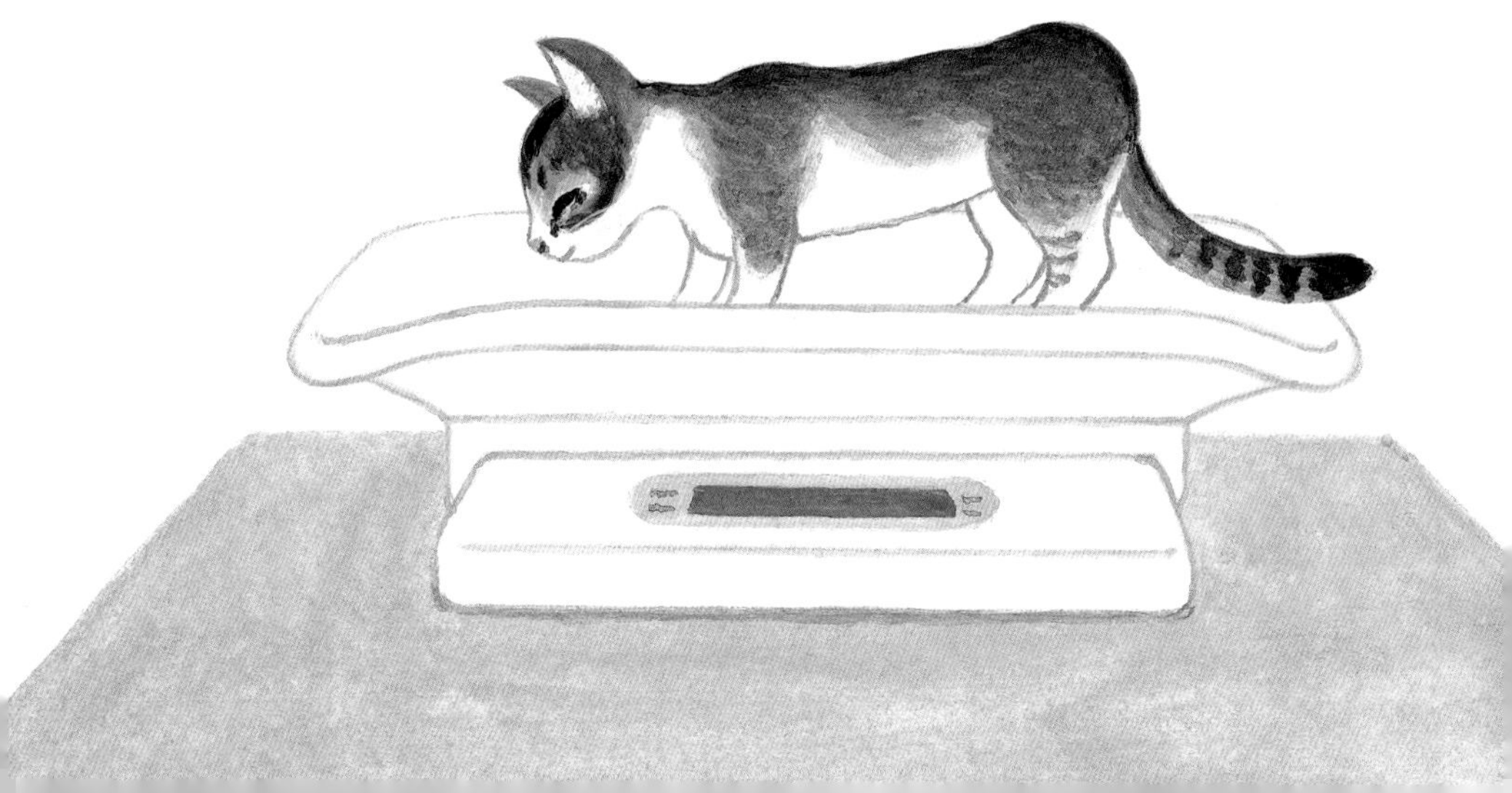

「では、熱《ねつ》をはかりましょう。ちょっとおさえていてくださいね」

わたしが、こねこのからだを両手《りょうて》でおさえると、先生は、体温計《たいおんけい》をこねこの耳にさしこみました。熱《ねつ》は40度《ど》以上《いじょう》ありました。ねこの平熱《へいねつ》は38・5度《ど》くらいです。子どもはこれより少《すこ》し高《たか》めですが、40度《ど》以上《いじょう》あれば、熱《ねつ》があるということでしょう。

「ウイルス性《せい》の鼻気管炎《びきかんえん》でしょう。こねこの場合《ばあい》、死亡《しぼう》することもある伝染病《でんせんびょう》です。このままでは、ごはんが食《た》べられずにどんどん弱《よわ》ってしまいますから、早《はや》く元気《げんき》にしてあげましょうね」

先生はそういうと、注射《ちゅうしゃ》をうってくれました。注射《ちゅうしゃ》はあっというまに終《お》わり、こねこはキョトンとしています。

先生は、ノミとりスプレーもかけてくれました。

こねこは、なれてきたようすで、診察台《しんさつだい》の上をウロウロしはじめました。

とびおりないようにからだをおさえながら、わたしは先生にはなしました。

「じつは、うちにはおとなのねこが2ひきいます。ワクチンはうっていますが、この子をつれて帰《かえ》るのは、やはり心配《しんぱい》です。しばらく入院《にゅういん》させてもらうことはできませんか？　その間《あいだ》にほかの伝染病《でんせんびょう》の検査《けんさ》をしてもらえると、助《たす》かるのですが」

「わかりました。検査《けんさ》は明日《あす》しますね。4、5日《にち》すれば、ずいぶんよくなると思《おも》いますので、退院日《たいいんび》は、ようすを見ながらきめましょう」

先生は、入院《にゅういん》に必要《ひつよう》な書類《しょるい》を、もってきてくれました。

「ねこちゃんの名前《なまえ》は、ありますか?」と、先生にきかれ、

「ひろったばかりなので、ありません」と、こたえました。

患者《かんじゃ》の名前《なまえ》は、空白《くうはく》のままの書類《しょるい》。飼主《かいぬし》の欄《らん》に自分《じぶん》の名前《なまえ》を書《か》きながら、『わたしはこねこをひろったんだ…』と、あらためて実感《じっかん》しました。

名《な》なしのこねこ…でももう、わたしが責任《せきにん》を負《お》った、ねこなのです。

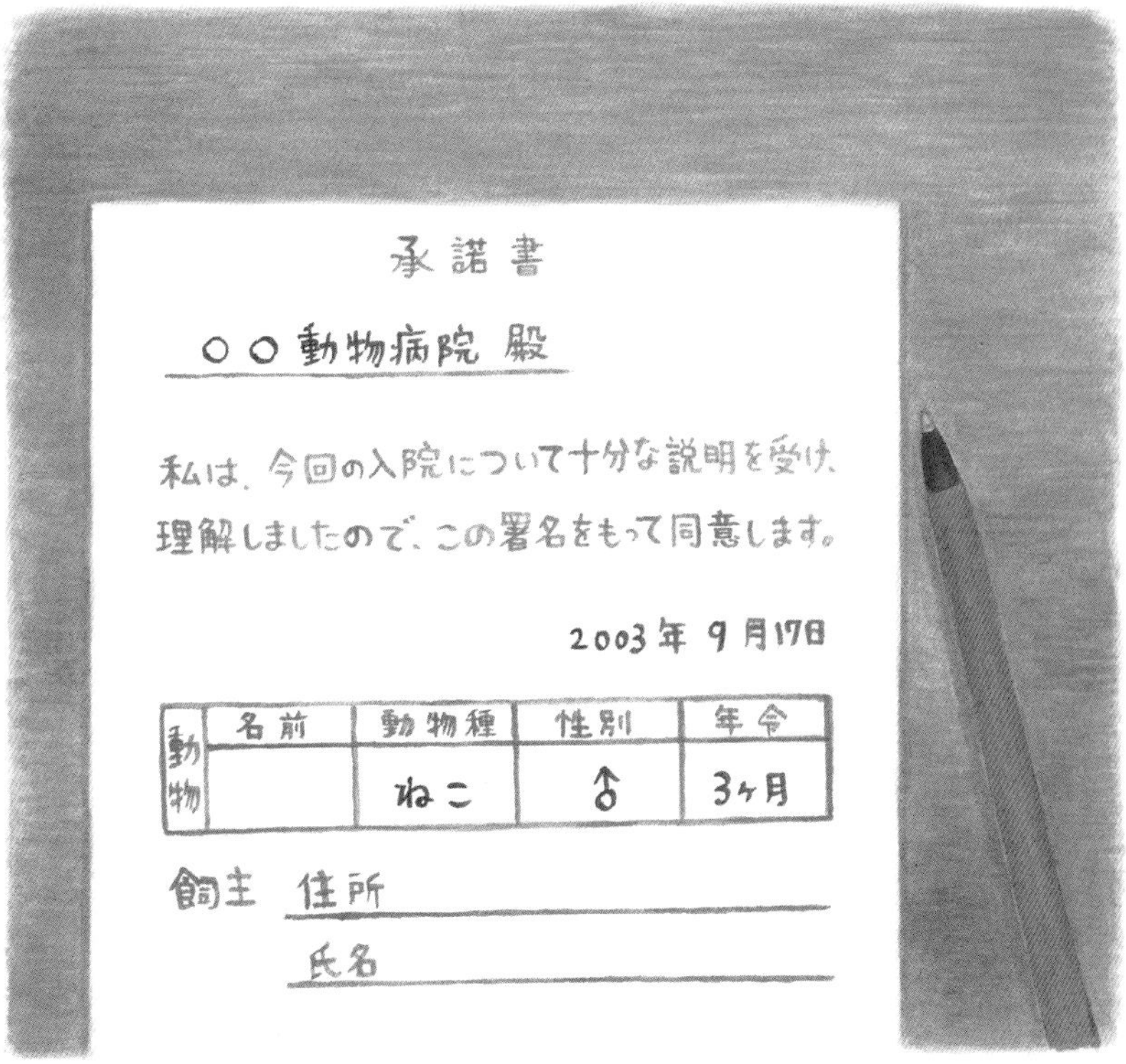
承諾書
○○動物病院 殿
私は、今回の入院について十分な説明を受け、
理解しましたので、この署名をもって同意します。
2003年 9月17日
動物
名前
動物種
性別
年令
ねこ
♂
3ヶ月
飼主 住所
氏名

その夜《よる》、病院《びょういん》がしまるまえに電話《でんわ》をかけました。

「このねこのぐあいは、どうですか?」

「熱《ねつ》も下がって、ごはんも食《た》べてますよ。さっきお薬《くすり》も飲《の》ませたところです」

わたしは、少《すこ》しほっとしました。でも、まだ大きな心配《しんぱい》がのこっています。血液検査《けつえきけんさ》は、明日《あす》。それによって、ネコエイズ、ネコ白血病《はっけつびょう》のウイルスを、もっているかどうかがわかります。

これらは、ねこどうしでうつる可能性《かのうせい》があるので、どちらかひとつでもウイルスをもっていれば、うちのねこたちといっしょにはくらせません。かといって、発病《はつびょう》し、早《はや》くに死《し》んでしまうかもしれないこねこを、よろこんで引《ひ》きとる人も、なかなかいないでしょう。

そうなれば、うちの中で2ひきとははなして育《そだ》て、わたしが最期《さいご》を看《み》とることになるかもしれない…。

わたしは、なかなか寝《ね》つくことができませんでした。

つぎの日は、夕方《ゆうがた》、検査《けんさ》の結果《けっか》をききにいくことになっていましたが、気になって仕事《しごと》に集中《しゅうちゅう》できません。

いてもたってもいられず、お昼《ひる》すぎに、病院《びょういん》へ電話《でんわ》をかけました。

「血液検査《けつえきけんさ》の結果《けっか》は、もう出ていますか？」

電話《でんわ》をうけてくれた女性《じょせい》に、たずねました。

「しょうしょう、おまちください」

受話器《じゅわき》からは、まちうけの音楽《おんがく》がきこえます。

わたしの心臓《しんぞう》はドックン、ドックンとなっていました。

「陰性《いんせい》でしたよ」
どちらのウイルスも、
もっていなかったのです。
わたしはその声《こえ》をきいた
あと、からだの力がぬけ

て、ただ「ありがとうございました」とくりかえしました。

受話器《じゅわき》をおくと、涙《なみだ》があふれてとまらなくなりました。

「よかった、よかったー」そういいながら床《ゆか》にすわりこみ、泣《な》いていました。

まだ出会ったばかりで、一度《いちど》抱《だ》いただけのこねこのことで、こんなにも心《こころ》うごかされている自分《じぶん》におどろきました。

夕方《ゆうがた》、病院《びょういん》をたずねると、コインロッカーのようなケージのひとつに、こねこはいました。

まだ左目《ひだりめ》からは目やにが出て、いたそうにしていますが、昨日《きのう》よりも、ずっと生き生きとした顔《かお》つきをしています。

わたしが近《ちか》づくと、とびらに手をかけ、せいいっぱい口をあけて高《たか》い声《こえ》でなきました。

「もう少《すこ》し、がまんしてね。がんばるんだよ」

わたしは、こねこにはなしかけました。

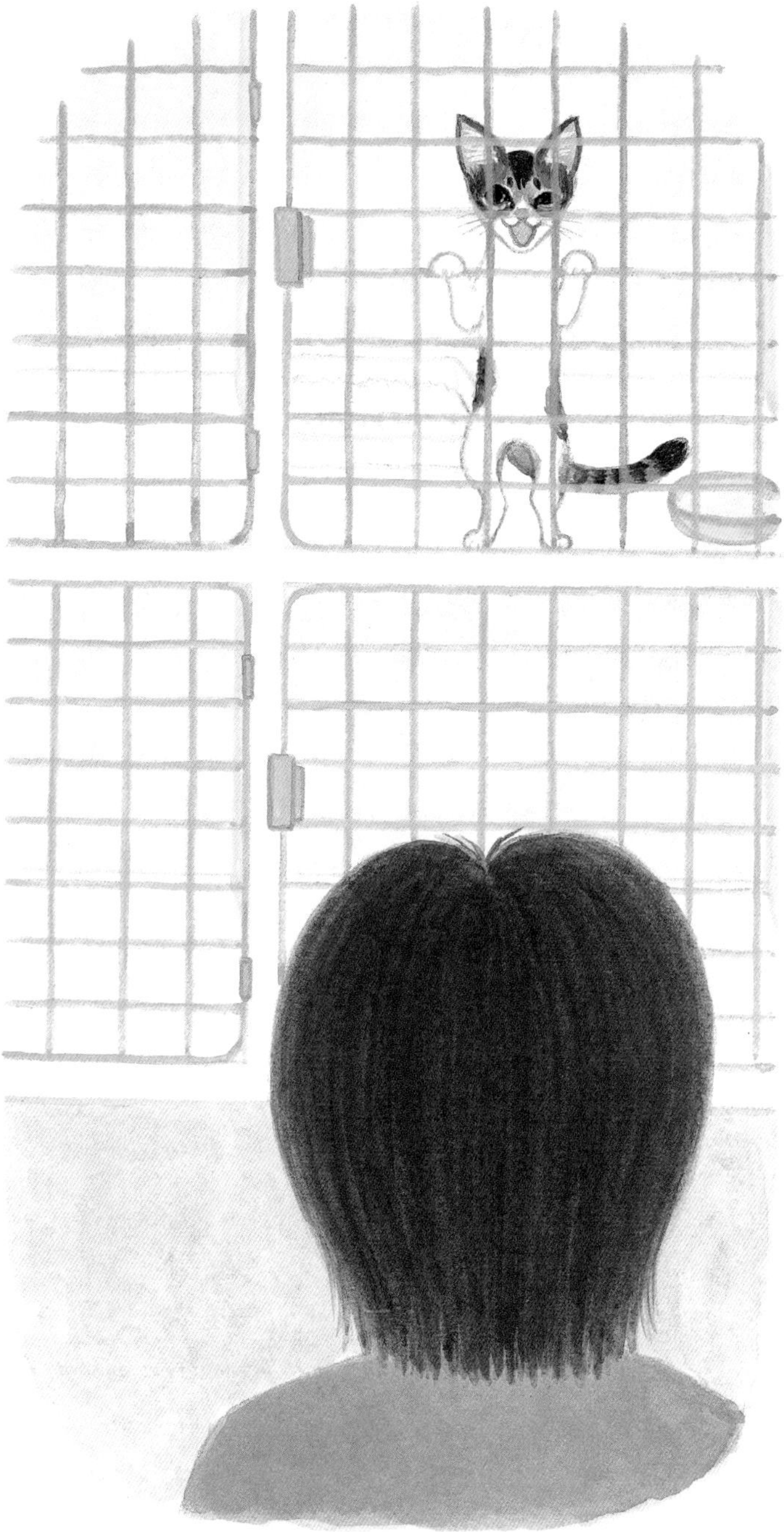

つぎの日も、こねこに会いにいきました。

「とっても元気《げんき》になりましたよ」と、世話《せわ》をしてくれている、若《わか》い女性《じょせい》がはなしかけてきました。

「もう、名前《なまえ》はきまりましたか？」

「うちにいるねこたちとの、相性《あいしょう》を見てからでないと、飼《か》ってあげられるかどうか、わからないんです…」

そうこたえたわたしは、胸《むね》が苦《くる》しくなりました。こねこはあいかわらず、わたしの目をじっと見て、大きな声《こえ》でないています。

入院《にゅういん》から5日後《いつかご》、こねこは退院《たいいん》することになりました。

秋《あき》がやってきたことを感《かん》じる、はだ寒《さむ》い夜《よる》です。わたしは、こねこをつれて帰《かえ》るためのキャリーバッグをもって、病院《びょういん》にいきました。

こねこをケージからキャリーバッグにうつそうと、しゃがんだときのことです。こねこは、わたしの手からスルリとぬけ、ひざにのってきました。そして、わたしの顔《かお》を見上げながら腰《こし》をおろすと、そのままゆっくり、まるくなりました。

わたしはびっくりしました、と同時《どうじ》に、愛《いと》しいような、泣《な》きたくなるような感情《かんじょう》がこみ上げてきました。

この子は、はじめから外《そと》で生まれ育《そだ》ったのではなく、一度《いちど》は人間《にんげん》に育《そだ》てられ、そしてすてられたねこなのかもしれない…。

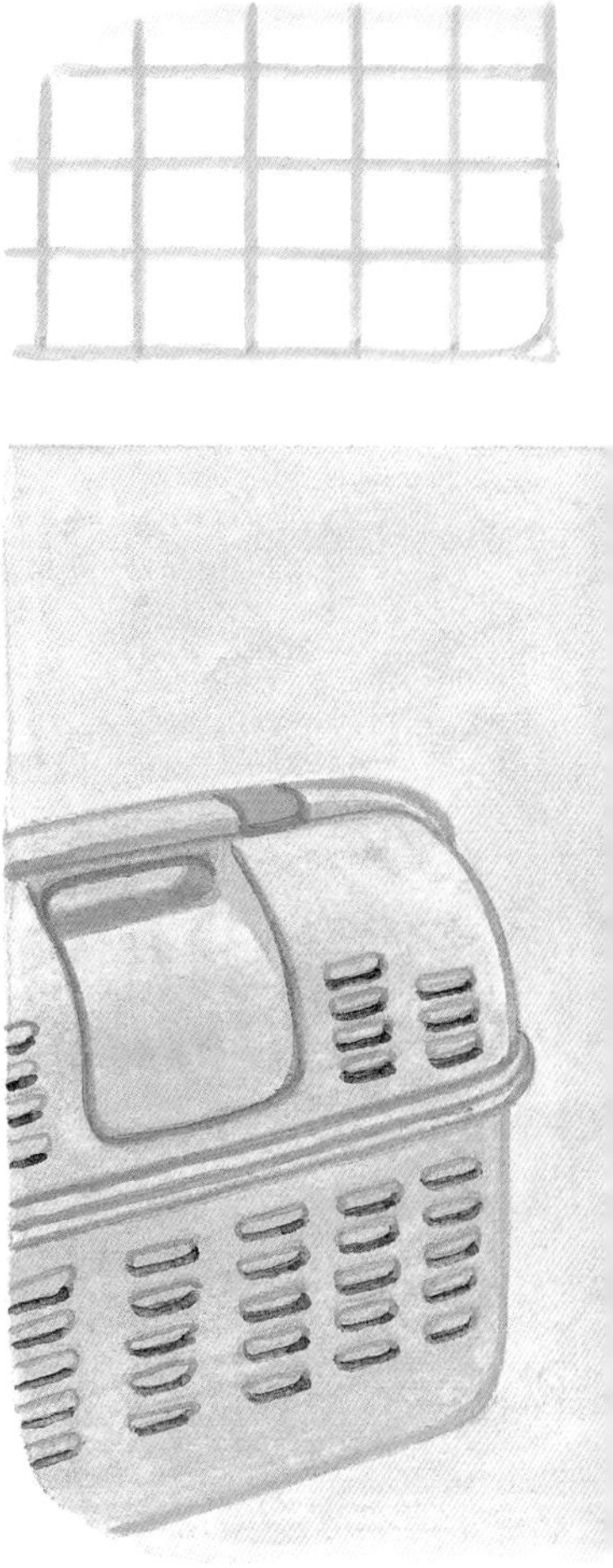

ほんとうのことは、こねこしか知《し》りませんが、今《いま》はわたしを信《しん》じてくれているんだなと、つたわってきました。

わたしは泣《な》きそうになるのをこらえながら、ひざの上のこねこをなでました。てのひらにふれるこねこの背中《せなか》は、ごつごつしていて、やせ細《ほそ》っていることを、あらためて感《かん》じました。

薬《くすり》をもらい、お金をはらい終《お》わったころ、外《そと》はポツポツと雨がふってきました。わたしたちは、2ひきのねこが何《なに》も知《し》らずにまっているうちへと、タクシーでむかいました。

「ただいまあ」

わたしたちが玄関《げんかん》に入った瞬間《しゅんかん》から、わが家《や》のねこ、ルル（女の子）とポロン（男の子）は、もうこねこのにおいに気づいているようでした。

キャリーバッグの近《ちか》くにやってきて、においをかいだり、ソワソワと歩《ある》きまわっています。中にいるこねこが「ニャー」となくと、ルルが毛《け》をさか立て、あとずさりしながら「シャーッ」という声《こえ》を出して、いかくしました。

le Socialisme, ca ne marche pas
REJOIGNEZ LE PARTI RÉPUBLICAIN

わたしは、まだかぜが治《なお》りきっていないこねこに、安心《あんしん》して眠《ねむ》れる場所《ばしょ》をつくってあげようと思《おも》いました。

こねこ用《よう》の部屋《へや》をきめ、そこに大きめのケージをおきました。ケージの中には、温《あたた》かく眠《ねむ》れるようにタオルをしき、水とキャットフードをたっぷり用意《ようい》し、小さなトイレもおきました。

ケージに入れると、こねこはしばらく中を歩《ある》きまわり、すみずみまでにおいをかいでいました。それがすむと、部屋《へや》の中を見まわし、ニャーニャーないています。また知《し》らない場所《ばしょ》につれてこられて、さぞかし不安《ふあん》なことでしょう。

わたしは、こねこが少《すこ》しでもおちつけるようにと、ケージの上半分《はんぶん》に布《ぬの》をかけ、部屋《へや》の明《あ》かりを消《け》して、ドアをしめました。

それから3日間《みっかかん》、こねこのいる部屋《へや》はドアをしめたままにし、ごはんや薬《くすり》を飲《の》ませたり、トイレの世話《せわ》をするときに、わたしひとりが部屋《へや》へ入りました。

ニャーニャーとないてばかりいたこねこは、ケージから出してやると、すぐにわたしのひざにのってきました。小さなからだをあずけるかのように、全身《ぜんしん》でわたしによりかかり、腰《こし》をおろします。いつのまにかなきやんだこねこからは、ゴロゴロとのどをならす音《おと》がきこえ、その振《しん》動《どう》と体温《たいおん》が、わたしのひざにつたわってきました。

「もう、ひとりぼっちにしないから、だいじょうぶだよ」

わたしがはなしかけると、ひざの上のこねこは、力強《ちからづよ》いまなざしで、わたしの目を見つめていました。

4日目《よっかめ》からは部屋《へや》のドアをあけ、ケージごしにこねことルル、ポロンが対面《たいめん》できるようにしました。

ポロンは、こねこのことが気になってしょうがないようです。何度《なんど》も近《ちか》くまでいくのですが、目があうと「ウ〜」とか「シャーッ」とうなっては走《はし》りさります。そしてまた近《ちか》づく、走《はし》りさる…これを、1日《にち》に何回《なんかい》もくりかえしていました。

けいかい心《しん》の強《つよ》いルルは、しばらくは遠《とお》くからながめていましたが、こねこがケージから出ないことがわかると、近《ちか》づいて観察《かんさつ》していました。

ケージの中のこねこに、2ひきをこわがるようすはありません。今《いま》までわたしにたいしてないていた声《こえ》とは種類《しゅるい》のちがう声《こえ》、もっと高《たか》いトーンの「クウッ、クウッ」といった声《こえ》で、2ひきにむかってないています。その声《こえ》は、おびえたり、怒《おこ》っているのではなく、よろこび、あまえているように感《かん》じました。

さらに3日後《みっかご》、退院《たいいん》から1週間《しゅうかん》がたった日。こねこをケージから出そうときめました。こねこのかぜがよくなり、ルルとポロンも、こねこの存在《そんざい》に、少《すこ》しなれてきたと感《かん》じたからです。

まず、こねこのからだをきれいに洗《あら》ってから、自由《じゆう》に歩《ある》かせました。

こねこは、においをかぎながら、家《いえ》じゅうを探検《たんけん》していましたが、ひとたびルルとポロンを発見《はっけん》すると、うれしそうに「クウッ」となきながら走《はし》りよります。2ひきはうなっておどかしては、走《はし》りさり、こねこはまたそれを追《お》いかけます。

「あそぼうよ、なかよくしてよ」と、近《ちか》よるこねこ。

「何《なに》ものだ、おまえは！」と、いって逃《に》げるルルとポロン。

このくりかえしでは、3びきともつかれてしまうでしょう。ようすを見ながら、会わせる時間《じかん》を、少《すこ》しずつふやしていくことにしました。

１週間《しゅうかん》がすぎました。３びきの関係《かんけい》はかわりません。

日ごとにこねこへの愛情《あいじょう》がましていくわたしは、ふくざつな気もちをかかえながら、引《ひ》きとり手を探《さが》すことも、半分《はんぶん》ほど考《かんが》えていました。

ところが、ある日とつぜん、ポロンとこねこが、とっくみ合いをはじめたのです。わたしはハラハラしましたが、仕事《しごと》をしているふりをしながら、ときどきそっと観察《かんさつ》していました。

ポロンとこねこのどちらにも、怒《おこ》っているようすはないようです。まったく声《こえ》も出さず、毛《け》もさか立てていません。

夢《む》中《ちゅう》で追《お》いかけ合ってはとっくみ合い、そしてまた追《お》いかける…まるでプロレスごっことかけっこをして、あそんでいるように見えました。それは、何《なん》度《ど》も何《なん》度《ど》もくりかえされました。

しばらくして、走《はし》っている気《け》配《はい》がなくなったので、ようすを見にいってみました。

まるいベッドの上に、2ひきはいました。

ポロンがからだをまるめ、そのおなかにぴったりとくっついて、こねこもまるくなり、いっしょに眠《ねむ》っていたのです。

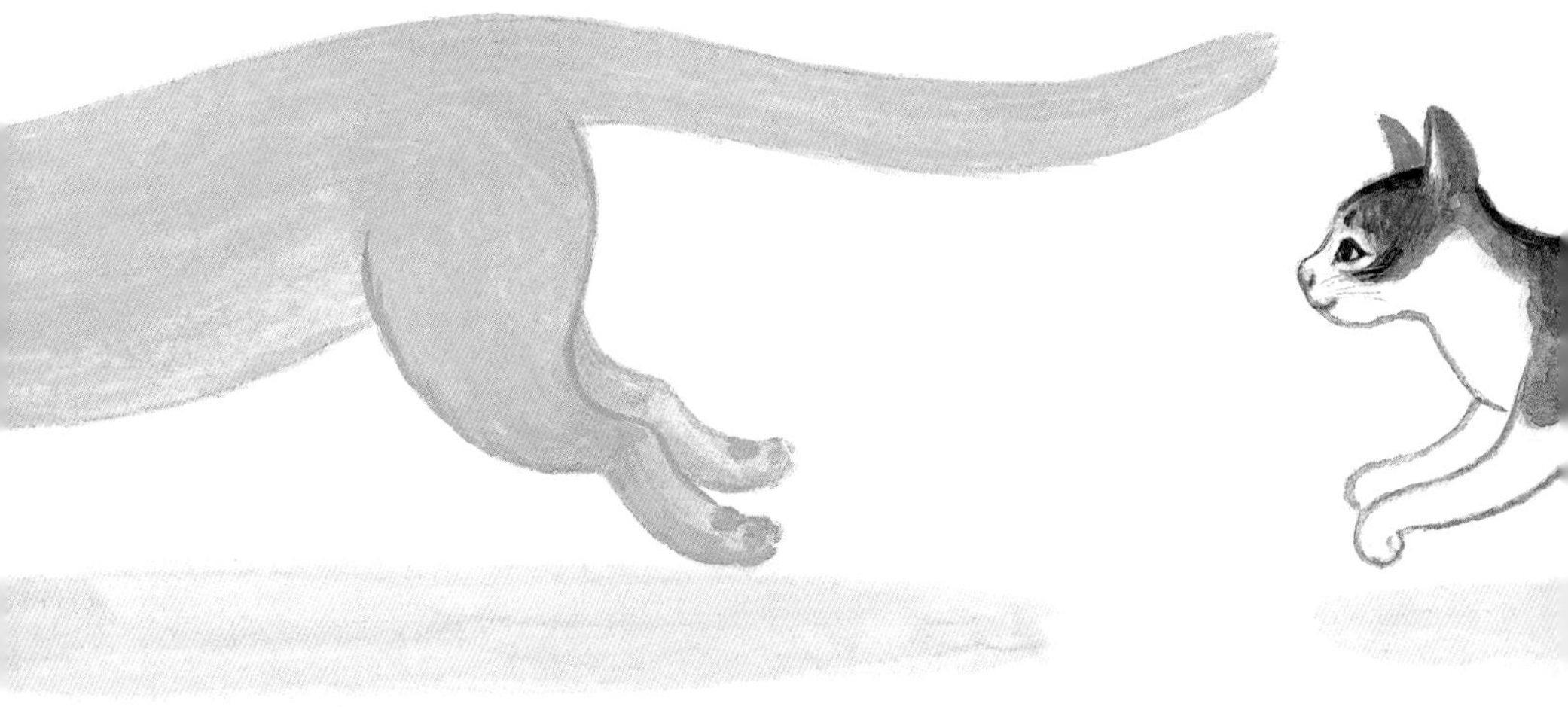

こねこをむかえ入れても、なんとか
やっていけそうだと感《かん》じた、わたしと
夫《おっと》は、こねこに名前《なまえ》をつけました。
出会《であ》ったときからずっと、いっしょ
うけんめい「ニャー」と大きな声《こえ》で、
ないていたこねこ。
だから『ニヤ』。

公園《こうえん》にいた名《な》なしのこねこは、『ニヤ』という
名前《なまえ》の、家族《かぞく》の一員《いちいん》になりました。

あとがき

＊この本は絵本『名なしのこねこ』（２００６年刊《かん》）を再編集《さいへんしゅう》したものです。

ニヤはその後、ネコ伝染性腹膜炎《でんせんせいふくまくえん》の検査《けんさ》もうけ、問題《もんだい》ないという結果《けっか》が出ました。

ネコ伝染性腹膜炎《でんせんせいふくまくえん》は、便《べん》から感染《かんせん》するため、トイレをいっしょに使《つか》うと、病気《びょうき》が広《ひろ》がってしまいます。

先《さき》に検査《けんさ》した、ネコエイズ、ネコ白血病《はっけつびょう》のウイルスは、唾液《だえき》と血液《けつえき》の中にあるので、ねこどうしが近《ちか》よるだけではうつりません。けんかしてできた、かみ傷《きず》などからうつります。また、母《はは》ねこの母乳《ぼにゅう》や唾液《だえき》から、こねこにうつる可能性《かのうせい》や、いっしょにすんでいるねこどうしが、からだをなめたり、同《おな》じ食器《しょっき》をなめることからうつる可能性《かのうせい》もあります。そして、治《なお》す方法《ほうほう》が今《いま》はないのです。

これらは、ねこを保護《ほご》したときには、できるだけ早《はや》い時期《じき》に検査《けんさ》した方《ほう》がよい、命《いのち》に関《かか》わる伝染病《でんせんびょう》です。

幸《さいわ》い、ニヤはとても健康《けんこう》で、すくすくと育《そだ》ち、当時《とうじ》（２００３年）いた

３びきの中でいちばん大きなねことなり、17歳半《さいはん》まで生きました。その約《やく》17年間《かん》に、この本に出てくるルルとポロンを天国《てんごく》へと見送《みおく》り、縁《えん》あって新《あたら》しくわが家《や》に来《き》たこねこたちやおばあちゃんねこを大歓迎《かんげい》し、世話役《せわやく》となってくれた、とても優《やさ》しく気のいいねこでした。

わたしの膝《ひざ》の上にのるのが好《す》きで、夜《よる》もわたしによりそって眠《ねむ》るねこでした。

わたしがニヤと出会《であ》ったのは、ちょうど、全国《ぜんこく》の動物愛護《どうぶつあいご》センターなどで引《ひ》き取《と》られた動物《どうぶつ》たちの殺処分数《さつしょぶんすう》を知《し》り、ショックをうけていたときでした。そのころは、年間約《ねんかんやく》45万《まん》びき近《ちか》くの犬《いぬ》・ねこが殺処分《さつしょぶん》されていたのです。生きるために生まれてきた命《いのち》が、人の手によってうばわれること、その数《かず》を知《し》ったとき、涙《なみだ》がとまりませんでした。

ニヤを保護《ほご》してから現在《げんざい》までのこの20年で、犬《いぬ》・ねこの引《ひ》き取《と》り数《すう》、殺処《さつしょ》分数《ぶんすう》はずいぶんと少《すく》なくなりました。動物愛護《どうぶつあいご》管理法《かんりほう》の改正《かいせい》や、動物愛護《どうぶつあいご》センターや保護団体《ほごだんたい》などの方々《かたがた》による努力《どりょく》、飼《か》い主《ぬし》さんたちの意識《いしき》の変化《へんか》によるものなのでしょうか。それでも２０２１年度《ねんど》の引《ひ》き取《と》り数《すう》は約《やく》６万《まん》びき、殺処分数《さつしょぶんすう》は約《やく》1万《まん》５０００びきです。そのうちねこは約《やく》1万《まん》２０００びきです。そしてその半数以上《はんすういじょう》がこねこなのです。（参考《さんこう》　環境省《かんきょうしょう》・資料《しりょう》）

すてられたり外《そと》で生まれたこねこで、ニヤのように運《うん》よくひろわれるねこよりも、ホームレスになるねこが多《おお》く、餓《う》え、寒《さむ》さにたえられず、命《いのち》をおとすこねこも、たくさんいます。

近所《きんじょ》の人からごはんをもらって生きのびているねこたちも、寒《さむ》さや病気《びょうき》、事故《じこ》などにより、平均《へいきん》3～5年しか生きられないとききます。人といっしょに家《いえ》で暮《く》らすねこは平均寿命《へいきんじゅみょう》がのび、15年近《ちか》く生きるねこが多《おお》いことにくらべると、あまりに短《みじか》い一生《いっしょう》です。

ねことともに暮《く》らすことは、ねこに安全《あんぜん》な場所《ばしょ》と毎日《まいにち》のご飯《はん》を確保《かくほ》してあげられるだけでなく、その安心《あんしん》した寝姿《ねすがた》やかわいらしい様子《ようす》を毎日《まいにち》見ることができる人間《にんげん》にとっても、とても幸《しあわ》せなことだと思《おも》います。

たくさんの楽《たの》しい時間《じかん》と優《やさ》しさをくれたニヤに、心《こころ》から感謝《かんしゃ》しています。

人間《にんげん》も動物《どうぶつ》も、命《いのち》の尊《とうと》さは、みな同《おな》じです。いい関係《かんけい》をつくりながら、共《とも》に生きていけることを願《ねが》っています。

この世《よ》に生まれた命《いのち》が、できればみんな幸《しあわ》せでありますように。

２０２３年　とりごえまり

動物愛護管理法《どうぶつあいごかんりほう》について

日本《にほん》には、動物愛護管理法《どうぶつあいごかんりほう》という法律《ほうりつ》があります。

この法律《ほうりつ》は、動物《どうぶつ》の虐待《ぎゃくたい》などを防《ふせ》ぎ、人間《にんげん》と動物《どうぶつ》が共《とも》に生きていける社会《しゃかい》を目指《めざ》すとともに、動物《どうぶつ》を正《ただ》しく飼《か》い、動物《どうぶつ》による人への危害《きがい》や周《まわ》りへの迷惑《めいわく》を防止《ぼうし》することを目的《もくてき》としています。

その中には、愛護動物《あいごどうぶつ》を殺《ころ》したり傷《きず》つけた者《もの》、虐待《ぎゃくたい》した者《もの》、遺棄《いき》した者《もの》に、懲役《ちょうえき》または罰金《ばっきん》を処《しょ》する罰則《ばっそく》もあります。

動物愛護管理法《どうぶつあいごかんりほう》　第《だい》6章《しょう》　罰則《ばっそく》　第《だい》44条《じょう》（抄《しょう》）

3、愛護動物《あいごどうぶつ》を遺棄《いき》した者《もの》は、1年以下《ねんいか》の懲役又《ちょうえきまた》は100万円以下《まんえんいか》の罰金《ばっきん》に処《しょ》する。

ニヤが、もしも捨《す》てられてしまったこねこであったなら、その捨《す》てた人にも罰《ばつ》が処《しょ》されるべき、決《けっ》してしてはいけない行為《こうい》なのです。

＊ニヤを保護《ほご》した当時《とうじ》（2003年）の法律《ほうりつ》は、「愛護動物《あいごどうぶつ》を遺棄《いき》した者《もの》は、50万円以下《まんえんいか》の罰金《ばっきん》に処《しょ》する。」でしたが、その後《ご》の改正《かいせい》により、厳《きび》しいものに変《か》わりました。なお、「愛護動物《あいごどうぶつ》」とは、人に飼《か》われている「哺乳類《ほにゅうるい》、鳥類《ちょうるい》、爬虫類《はちゅうるい》に属《ぞく》する動物《どうぶつ》」および、「牛《うし》、馬《うま》、豚《ぶた》、めん羊《よう》、やぎ、犬《いぬ》、ねこ、いえうさぎ、鶏《にわとり》、いえばと、あひる」を指《さ》します。

とりごえまり

1965年、石川県に生まれる。

金沢美術工芸大学商業デザイン科卒業。

作品に『月のみはりばん』(偕成社)、「ハリネズミのくるりん」シリーズ(文溪堂)、『ネコのラジオ局』(作・南部和也　教育画劇)、『コトリちゃん』(絵・やまぐちめぐみ　佼成出版社)、『げんきになったよ こりすのリッキ』(文・竹下文子　偕成社)、「しんくんとのんちゃん」シリーズ『かいぶつのおとしもの』『空からのてがみ』『雨の日のふたり』、『くまさんアイス』(以上、アリス館)などがある。

絵本の他に、広告、装丁、小児科ホスピタルアートの絵なども手がける。

近年は個展開催、グループ展に参加も多数。

石川県在住。

フリーペーパー「ネコの種類のおはなし」
https://torigoe-mari.net/dl.html

＊本書は小社刊行の『名なしのこねこ』(2006年)に、
表紙、判型、ページ数の変更、新たな絵を加え、あとがきを改稿したものです。

名なしのこねこ

2023年10月31日 初版発行
2024年 5 月20日 第2刷

著者　とりごえまり
協力　南部和也(キャット ホスピタル)
デザイン　椎名麻美
発行人　田辺直正
編集人　山口郁子
発行所　アリス館
〒112-0002　東京都文京区小石川5-5-5
電話 03-5976-7011　FAX 03-3944-1228
https://www.alicekan.com/

印刷所　株式会社光陽メディア
製本所　株式会社難波製本

ISBN978-4-7520-1076-0　NDC913　64P　22cm